poes leert ook

Anke Kranendonk
Tekeningen van Ingrid Godon

Zwijsen

in de doos

nog één dag.
dan ga ik naar school.
het is wel eng.
hoe is het in groep 3?
kan ik het wel?
ik leer taal.
en maak een som.
kan ik dat wel?

nog één dag.
dan ga ik naar school.
ik krijg een tas van mam,
een rok en ook een jas.
maar ik krijg nog wat.
het zit in een doos.
mauw! hoor ik.

gauw kijk ik er in.
een poes!
oo mam, wat fijn!
de poes is nog klein.
zij rent en eet.
en ze slaapt nog veel.
leert poes wel wat?
weet je wat, poes?
ga mee naar school!

in de bus

maar poes mag niet mee.
ik laat haar bij mam.
en ik ga naar school.

pap gaat met me mee.
‘dag poes,’ zeg ik.
‘wees lief voor mam.
ik leer wat op school.
jij ook?
leer jij ook wat?’

ik zit in de bus.
brrr.
hoe zal het zijn op school?
gauw denk ik aan poes.
dat is leuk.

ik ga uit de bus.
daar zie ik mik en suus.
ik ken hen.
dat is wel fijn.
'dag, mik en suus.
kom, we gaan naar de juf.'

in de klas

het is stil in de klas.
ik maak een som.
4 + 2 = 6.
dat is heel knap.
2 + 2 = 5.
maar dat is niet goed.
2 + 2 = 4!
juf zegt: ‘het gaat goed.’
daar ben ik blij om.

maar dan ben ik moe.
hoe zou het met poes zijn?
leert zij al wat?
kan zij al taal?
of een som?

2+2=4!

de school is uit.
pap is er.
we gaan naar huis.
ik neem wat melk.
en eet een koek.
waar is poes?
ik zoek en zoek.
maar ik zie haar niet.

in de doos

na een poos zie ik poes.
ze is in de doos.
‘ha poes!’ zeg ik.
‘wat doe je?
ik was op school.
en jij?
sliep jij al die tijd?
kan jij nu al wat?
ik kan een som.
2 + 2 = 4.
nu jij.’
poes kijkt mij aan.
ze is nog moe.
poes! poes!
dan keert ze om.
ze ligt nu op haar rug.

‘poes!’ zeg ik nog een keer.
‘2 + 2 = ...’
wat doet poes?
zie ik het goed?
ze steekt één poot op.
en nog 1, nog 1, nog 1.
dat is 4!
‘goed zo, poes!
kan je nog meer?’

goed zo, poes

‘poes, 1 + 1 = ...’
daar gaat poes weer.
ze steekt 1 poot op.
en nog 1.
‘goed zo, poes!
jij hoeft niet meer naar school.
slaap jij maar fijn door!’

Zonnetjes bij kern 1 van Veilig leren lezen

1. maan, roos en vis zijn boos
Daniëlle Schothorst

2. juf piet en rat roet
Erik van Os & Elle van Lieshout en Lars Deltrap

3. poes leert ook
Anke Kranendonk en Ingrid Godon